Mafalda 10

TUSQUETS EDITORES

¡HOLA! ¿SABEN QUE EMPEZÓ EL AÑO NUEVO?

¡CLARO, PAPAFRITA! ¡¿CÓMO NO LO VAMOS A SABER?!

¡LA NOTICIA HA CORRIDO COMO REGUERO DE PÓLVORA!

¡EH, GUILLE, TOMA UN POCO DE SANDWICH!

AH, NO; EL MORTADELA JAMÁS

ARTICULOS PARA EL HOGAR

NO PARECE MUY MAL MARIDO, ¿A CUÁNTO SE LO DEJARON?

¿ADÓNDE VAS A IR DE VERANEO ESTE AÑO, LIBERTAD?

¿NUNCA TE HABLÉ DE LA CASA DE MI ABUELA EN EL CAMPO?

UNA VEZ ME LLEVARON; HAY UNA VACA EN UN CORRAL Y UN CABALLO Y GALLINAS Y PATOS Y CONEJITOS....

...Y MUCHOS ÁRBOLES QUE SE LLENAN DE CANTOS DE PÁJAROS AL CAER LA TARDE. ¿NUNCA TE HABÍA CONTADO NADA DE ESO?

NO

BUENO, ¡PUES PARECE QUE OTRA VEZ VAMOS A IR A ABURRIRNOS A ESE MALDITO LUGAR!

¡SE EQUIVOCÓ LA CIGÜEÑA, SE EQUIVOCAAABA SE EQUIVOCAAABA

¡DEBO LLEGAR AL RANCHO DE MULLIGAN ANTES DE QUE ESOS FORAJI-DOS LLEVEN A CABO SU PLAN!

¡OH-OH, QUIEN SE A ¡SLUP! CERCA!

¡LLEBO DEGAR AL MULLÍ DE RANCHIGAN ANQUES DE TE SOSE FORALLI-VOS JEBEN A PLABO SU CAN!

¡BEGO MULLAR RALANCHO GUE LLUMIQAN DANFEDTISOS ꟻORJASVITꟼS ꟼƎLLEB NA CAꟼꟼO Uꟼ ♡ALN!

¡TODO AUMENTA! ¡SI LAS COSAS SIGUEN ASÍ, ¿ME QUIERE DECIR CÓMO VAMOS A VIVIR?

¡Y BUÉH!... SERÁ CUESTIÓN DE IR TIRANDO

¿¡A QUIENES?! ¡SI ESTÁN TODOS MÁS AGARRADOS!...

¡VOY A HACER GIMNASIA, YA VAS A VER!

¡Y RÉGIMEN! ¡TAMBIÉN VOY A HACER RÉGIMEN!

¿QUE NO? ¡JHA'!... ¡NO ME CONOCÉS! ¡PERO DE AHORA EN ADELANTE VAS A SABER QUIEN SOY YO!

UNO RUBIO, GORDITO...

¡HOLA! ¿QUÉ LEÉS?

UNA NOTA SOBRE EL EXCESO DE POBLACIÓN MUNDIAL

¿TRAE ALGUNA LISTA DE NOMBRES?

¿LISTA DE NOMBRES? ¡NO! ¿QUÉ LISTA DE NOMBRES?

¡AH!

MEJOR ASÍ; SI ESTOY DE MÁS EN ESTE MUNDO PREFIERO SOBRAR DE INCÓGNITO

¡PUEBLOS DEL MUNDO!

¿PODEMOS PERMANECER CRUZADOS DE ESTÓMAGOS MIENTRAS MEDIA HUMANIDAD PADECE APETITO?

¿Y A USTEDES QUÉ LES PASA QUE MIRAN CON ESAS CARAS DE CURSIS?

PARTIÓ HACIA LA URSS. UNA DELEGACIÓN DE EE.UU.

¿CÓMO PUEDEN IR A VISITAR A ESOS RUSOS QUE SON TODOS UNOS COMUNISTAS?

¡VAMOS, VAMOS!... QUE SI PARA VOS FUERA NEGOCIO, YA TE VEO ABRIENDO UNA SUCURSAL DEL ALMACÉN DE TU PAPÁ EN MOSCÚ

¿EN MOSCÚ? ¿YO? ¡MIRÁ, NO TE APLASTO LA NARIZ PORQUE SOS MUJER!

¿SAPEVICH KHE ALMACENSKY MANOLOV VENDE BARATIUSHKA?

SOY TODA OÍDOS, PAPITO; ¿PODRÍAS EXPLICARME POR QUÉ EN VEZ DE CAMBIAR ESTRUCTURAS A TODOS LES DA POR REMENDAR ARMAZONES?

¡EL GRANDULÓN, PATEANDO LATITAS!

¡CLANK!

¡QUÉ DESASTRE! ¡HASTA MIS DEBILIDADES SON MÁS FUERTES QUE YO!

¿YO PREJUICIOS?

¡¡INVENTOS TUYOS!!

¿CUÁNDO DIJE YO ALGO CONTRA ESOS COCHINOS NEGROS, EHÉ? ¿CUÁNDO? ¡A VER, DECÍ! ¿CUÁNDO, EHÉE?

¿QUÉ TIENE QUE HACER UNA TOR-TUGA PARA VIVIR? ¡SER TORTUGA!

¿QUÉ TIENE QUE HACER UN GATO PARA VIVIR? ¡SER GATO!

¿QUÉ TIENE QUE HACER UN OSO PARA VIVIR? ¡SER OSO!

¿QUÉ TIENE QUE HACER UN TIPO PA-RA VIVIR? ¡SER ALBAÑIL, ABOGADO, TORNERO, OFICINISTA O QUÉ SÉ YO!

¿POR QUÉ TENÍA QUE TOCARNOS A LOS HUMANOS EL ESTÚPIDO PAPEL DE SER ANIMALES SUPERIORES?

¡SGLUB!

¡¡P.TUÁÁJ!!

¡SGLUB!

¡FUAAJJ!

¡SGLUB!

¡PÚJJ!... ¡LA TERMINÉ!

¡CÓMO TE ESTOY MALCRIANDO, MADRE! ¡¡¡CÓMO TE ESTOY MALCRIANDO!!!

¡HOLA, VENGO A JUGAR! ¿PUEDO QUEDARME A JUGAR?

POR SUPUESTO; ADELANTE

¡TENGO UNAS GANAS DE JUGAR! ¿A QUÉ PODEMOS JUGAR, EHÉ? ¡DÁLE! ¿A QUÉ SE TE OCURRE?

¡YA SÉ!

¡A LOS DESTRABALENGUAS!....DECÍ "EN TRES PLATOS DE TRIGO COMEN TRES TIGRES TRIGO" ¿A VER?

LOS TIGRES NO SON VEGETARIANOS. YO VENÍA A DIVERTIRME, NO A QUE ME TOMÉS POR IGNORANTE

¿SABÉS? ANDO PREOCUPADO, SUSANITA

RESULTA QUE

¡AH, NO, MIGUELITO!

YO SOY AMIGA TUYA, NO DE TUS PREOCUPACIONES

YO NO SIENTO CARIÑO POR TUS PROBLEMAS SINO POR VOS, ¡TODO MI CARIÑO POR VOS!

¡OH, GRACIAS, SUSANITA!

¿GRACIAS?

¿QUÉ HACÉS AHÍ SENTADO ESPERANDO, GUILLE? TODAVÍA FALTA UNA SEMANA PARA QUE SALGAMOS DE VERANEO

¿UNA ZEMANA CUÁNTOZ DÍAZ ZON? ¿AZÍ?

NO, ASÍ

¿ME TRAEDÍAZ UN ALMOHADONZITO, POD FAVOD?

¡MAFALDA, APAGÁ ESA LUZ Y DORMÍ DE UNA VEZ, QUE SON LAS DOCE Y PICO!

'TÁ BIEN

¡CLIK!

¡HORAS EXTRAS!... ¡ADEMÁS DE SER LA MADRE DE UNA TODO EL DÍA, ENCIMA HACE HORAS EXTRAS!

...Y NOS COMPLICARÍA EL VERANEO. ¡AH! YA TE DI-JE QUÉ HAY QUE DARLE DE COMER ¿NO? - ESPERO QUE LA CUIDES BIEN

QUÉDATE TRANQUILA

PARECE QUE A LOS CHICOS LES INTERESA

¿Y SI A CADA UNO?...

¡¡Y SI A CADA UNO NADA!! PODRÍA SOLVENTAR EL GASTO DE LECHUGA Y ENCIMA HACER NEGOCIO, PERO PROMETÍ CUIDARLA, NO ALQUILARLA POR DÍA, ¡¡PUCHA DIGO!

¡¡DALE NOMÁS!! ¡¡DALE QUE VAS A SALIR EN LOS DIARIOS!!

¿POD QUÉ? ¿QUE ALGUIEN PAZE A UNOZ PELAGATOZ EZ NOTIZIA?

MAMÁ, ¿ESTA PLAYA TAMBIÉN ES NUESTRA PATRIA?

¡Y MUY NUESTRA PATRIA! ¿POR QUÉ?

PORQUE PARECE QUE ALGUNOS CREEN QUE **LO ÚNICO** QUE HAY QUE MANTENER LIMPIO DE LA PATRIA ES EL PASADO HISTÓRICO Y ESAS COSAS

ES CURIOSO COMO POR MÁS QUE UNO TRATA DE RETENERLO, EL PUÑADO DE ARENA SE LE ESCAPA DE LA MANO

¡NO HAY CASO; SE VA, SE VA!

¡NADA! ¡APENAS UNOS MÍSEROS GRANITOS!

¡BASTA CON ESA MALDITA ALEGORÍA DEL SUELDO!!

¡SEXY, EL FURGONCITO!

BUENAZ TADEZ ¿QUÉ DEZEA?

BUENAS TARDES, QUISIERA HABLAR CON UNA PERSONA MAYOR

ENZEGUIDA

BUENAZ TADEZ ¿QUÉ DEZEA?

VENTEX

AHÍ BUZCA UN TIPO, 'CHÉ

BUENAS TARDES, NENA, ¿ESTÁ TU MAMÁ?

DEPENDE

¿CUÁL DE ELLAS?

¿CÓMO CUÁL? PERO... ¿CUÁNTAS MAMÁS TENÉS?

¡UF!

UNA A LA QUE ADORO CON TODA EL ALMA... OTRA QUE ME PERSIGUE CON SU SOPA... OTRA QUE ME PROTEGE... OTRA QUE ME PEGA CADA GRITO... OTRA QUE ES FELIZ EN SU HOGAR... OTRA QUE VIVE ESCLAVA DE LA CASA... OTRA QUE...

¿QUIÉN ERA, MAFALDA?

¡BÉH!...

UN VENDEDOR AL QUE LE VENDIERON ESO DE QUE MADRE HAY UNA SOLA

SOCIALES

ES COMO EN LAS SERIES DE T.V

EL QUE UN DÍA HACE DE VIAJERO OTRO DÍA HACE DE ENFERMO O DE PADRINO DE BODA.... ¡PERO TRABAJAN SIEMPRE LOS MISMOS!

¿ALGUIEN DE USTEDES SE LLAMA MIGUELITO?

ESTOS BICHOS DEBEN USAR UNOS NOMBRES ESPANTOSOS

¡ZI MAFADDA VA A LA EZCUELA, YO TAMBIÉN QUIEDO ID!

MÁS ADELANTE, GUILLE; TODAVÍA NO PODÉS

¡QUIEDO ID Y VOY A ID!
¿POD QUÉ NO PUEDO?

PORQUE SOS MUY CHIQUITO TODAVÍA, NO TE DEJARÍAN ENTRAR

¿MUY CHIQUITO?

¡DEZDE QUE NACÍ EZTOY META Y META VIVID! ¿QUÉ PRETENDEN EZOZ?

¡CADA VEZ QUE EMPIE-
ZAN LAS CLASES ME
AGARRA ESTA MISMA
COSA AQUÍ!

¿Y SI FUERA
A UN
PSICOANALISTA?

¿PODRÍA UN PSICO-
ANALISTA SACARME
LA ANGUSTIA DE
VOLVER AL COLEGIO?

¿CONSEGUIRÍA UN
PSICOANALISTA QUE
YO, FELIPE, FUERA
A LA ESCUELA
CONTENTO Y
FELIZ?

¿LOGRARÍA UN
PSICOANALISTA
TRANSFORMARME
EN UN SER TAN
REPUGNANTE?

¡CHUIK!

?

¿Y ESE BESITO?

ES PORQUE...
¡POBRE
PAPÁ!

EMPIEZAN LAS
CLASES Y...¿PEN-
SASTE QUE TEN-
DRÁS QUE COMPRAR-
ME LÁPICES, LIBROS,
CUADERNOS Y
TODO UN MONTÓN
DE COSAS MÁS?

CLARO, TONTITA,
PERO ANDÁ Y
NO TE PREOCU-
PÉS POR ESO

¡CHUIK!

VEAMOS, LIBERTAD; ¿ESTE ES UN TRIÁNGULO.... CÓMO?...

¡COMO DIOS MANDA!

NO, FIJATE MEJOR; SI ESTE LADO, Y ESTE LADO, Y ESTE LADO MIDEN LO MISMO, ¿ES UN TRIÁNGULO......?

¡ABURRIDÍSIMO!

¡¡PERO NO!! "UN TRIÁNGULO CUYOS LADOS **SON TODOS IGUALES**" ¿ES...........?

¡AH!... ¡SOCIALISTA!

UN ZAPATO VIEJO, ¿POR QUÉ SE VERÁN SIEMPRE ZAPATOS Y NO CAMISAS, O CORBATAS, O SOMBREROS VIEJOS TIRADOS ASÍ?

¡QUÉ SÉ YO! SERÁ PORQUE LOS ZAPATOS ANDAN POR EL SUELO; ES LÓGICO QUE TERMINEN EN EL SUELO

BUENO, LA MORAL TAMBIÉN, Y YO NO VEO NINGUNA

ESTÁ BIEN, ME DOY POR VENCIDA, ¿DE QUÉ SEXO SOS?

PAPÁ, EL MUNDO...... O SEA, LA TIERRA....

...¿DE QUÉ SEXO ES?

¿CÓMO DE QUÉ SEX...?

¡¡PERO MAFALDA!! ¿¡CÓMO VA A TENER SEXO EL MUNDO?!

¿TODAS TENÍA QUE LIGARLAS, EL POBRE? ¿TODAS?

¡MENTIRA!

MAMÁ, ¿YO A VOS HASTA QUÉ EDAD TENGO QUE OBEDECERTE?

HASTA QUE TENGAS EL CRITERIO, LA RESPONSABILIDAD Y LA MADUREZ SUFICIENTES COMO PARA SABER DESENVOLVERTE SOLA EN LA VIDA

¡LA PUCHA!... ¿Y DUELE MUCHO, TODO ESO?

¿TE CONTÉ QUE MI ESPOSO SERÁ EJECUTIVO DE UNA IMPORTANTE EMPRESA?

SÍ, SUSANITA, ME CONTASTE.

¿Y QUE VIVIREMOS FELICES EN UN HERMOSO CHALECITO...

...DE LAS AFUERAS, SÍ; ¡TAMBIÉN ME LO CONTASTE YA VARIAS VECES!

¡NO ME DIGÁS QUE SABÉS LO DE LAS TIERNAS MIRADAS QUE EMPEZARÉ A NOTARME ECHA MI CUÑADO, PORQUE POR PUDOR NO SE LO CONTÉ NUNCA A NADIE!

¡PZT, MAFADDA! ¿DODMÍZ?

MMNO, GUILLE. ¿QUÉ QUERÉS?

DECIDTE QUE... QUE VOZ... QUE VOZ TE VAZ A LA EZCUELA TODAZ LAZ MAÑANAZ....

SÍ, ¿Y?

Y, NADA, QUE.... ¿QUÉ CUEDNOZ HAGO CON EL AGUJEDITO QUE ZIENTO ADENTRO MÍO CUANDO NO EZTÁZ? ¡ZANAHODIA!...

¡¡BUA'A'A'!!... ¡SNÍF! ¡¡UUA'A'AA!... ~SNÍF!

¡TUMP!

¿QUÉ PASA? ¡¿QUIÉN CERRO CON LLAVE!?

¿SON LOCOS? ¿QUÉ ES ESTO DE ENCERRARSE ASÍ?

ÉTICA; PERO PASÁ, IGUAL YA TERMINÁBAMOS DE HABLAR DE LOS PADRES

OTRO QUE CREYÓ QUE LO ÚNICO QUE HAY POR DELANTE ES EL PORVENIR

ANOTEN, DEBER PARA MA-
ÑANA, COMPOSICIÓN;
TEMA: LA VACA

¿OTRA VEZ?

¿HAY DERECHO? ¡UN AÑO
Y OTRO AÑO Y OTRO AÑO
DÉLE Y DÉLE ESCRIBIR
SOBRE LA VACA! ¿NO
HAY OTRO TEMA, DIGO YO?
¡LA VACA! ¡SIEMPRE
LA VACA!

"LA VACA NOS DA LA
LECHE"

¿Y LA DE TINTA
QUE NOS CHUPA?

POD FAVOD, ¿LE
DAZ CUEDDÁ A
MI ÓDNIBUZ,
MANODITO?

CRiiiic - CRiiiic
CRiiiic - CRiiiic
CRiiiic - CRiiiic
CRiiiic - CRiiiic
¡CRACK!

¡OOOY!... ¡EL TROMPITO,
GUILLE!... ¡MIRÁ EL
TROMPITO!

SI TU HERMANO NO
APRENDE A VALORAR
LAS PEQUEÑAS GANAN-
CIAS DE LAS GRANDES
PÉRDIDAS, VA A SU-
FRIR MUCHO EN ESTE
MUNDO, ¿EH?

¿CÓMO TE FUÉ HOY EN CLASE, MANOLITO?

BIEN, CREO QUE BIEN

A PROPÓSITO: AMÉRICA SE ESCRIBE SIN H, ¿NO?

¡LA PREGUNTA!. ¡CLARO!

AH, ENTONCES ESTÁ BIEN

¿SABÍAS QUE MI PAPÁ ES SOCIALISTA? ¡MIRÁ QUÉ CASUALIDAD SI TU PAPÁ FUERA DEL MISMO PARTIDO!

PAPÁ, ACÁ LIBERTAD QUIERE SABER DE QUÉ PARTIDO POLÍTICO SOS VOS

¿YO?...¿YO PARTIDO POLÍTICO? ¡JÁH!

Y, CLARO, ESE ES MUCHO MÁS CONOCIDO QUE EL DE MI PAPÁ

OTRA CON SOPOFOBIA, ¿VISTE?

DIGO YO, SI UNA SE CASÓ Y RESULTA QUE LUEGO APARECE OTRO TIPO QUE LE GUSTA MÁS, ¿QUÉ DEBE HACER? ¿CAMBIARLO POR SU MARIDO O QUÉ?

¡¡QUÉ SÉ YO, SUSANITA!!

¡AL FIN DE CUENTAS ESTAMOS EN UNA SOCIEDAD DE CONSUMO, QUÉ DIABLOS!

DEMOCRACIA (del griego, *demos*, pueblo, y *kratos*, autoridad) Gobierno en que el pueblo ejerce la soberanía

¡SALUD! ¡AQUI LLEGA *EL NUEVO MIGUELITO*!

¡YA ESTABA CANSADO DE SER COMO ERA, ASÍ QUE DECIDÍ DARME UN GOLPE DE ESTADO Y DERROCAR A MI EX-PERSONALIDAD!

¿ESO SIGNIFICA QUE AHORA DEBEREMOS AGUANTARTE **QUÉ** COSAS?

VENGO A COMUNICARTE QUE SOY *EL NUEVO MIGUELITO*, SUSANITA

¿EL NUEVO MIGUELITO? ¿Y QUÉ TENÉS DE NUEVO?

ESO: QUE SOY *EL NUEVO MIGUELITO*

VOS PERDONÁ, PERO YO TE VEO IGUAL QUE SIEMPRE

¡BUENO, CHE, AL FIN DE CUENTAS RECIÉN EMPIEZO A PONERME EL HOMBRO!...

SÉ FRANCA, ¿VERDAD QUE NO ME SIENTA MUCHO EL BESTIA-LOOK?

SUSANA CLOTILDE CHIRUSI, ¿ACEPTA POR ESPOSO A...

¿A?...

HOLA, MIGUELITO, ¿CÓMO MARCHA TU TRANSFORMACIÓN EN *EL NUEVO MIGUELITO*?

¡CUESTA! ¡HAY SECTORES QUE INTENTAN MANTENER LAS VIEJAS ESTRUCTURAS!

UNO DE ELLOS OPINA QUE O VOY A COMPRAR EL PAN COMO SIEMPRE O NO VEO MÁS TV, ¿NO ME ACOMPAÑAS A LA PANADERÍA?

RESULTA QUE A MIGUELITO SE LE METIÓ EN LA CABEZA QUE ÉL ES *EL NUEVO MIGUELITO*, ¿QUÉ ME CONTÁS?

¡ME PARECE MUY BIEN!; ¡VIVIMOS UNA ERA DE CAMBIO CONSTANTE! ¿CÓMO SERÍA EL MUNDO DE HOY SIN CAMBIOS?

¡¡VOS, AQUÍ TE TRAIGO LOS TOMATES QUE ME VENDISTE ESTA MAÑANA!!

DÉJEMELOS Y TOME ESTOS; RECIÉN RECIBIDOS

¡GENIAL, SERÍA! ¡¡PUCHA DIGO!!

¿QUÉ MAL HAN HECHO LAS GALLINAS? ¡NINGUNO!!!

¿DE QUÉ SON CULPABLES LAS GALLINAS? ¡DE NADA!

¡¡TUS MANOS, MADRE, ESTÁN TINTAS EN CALDO DE INOCENTES!!!

NO SOY YO LA PESIMISTA, FELIPE, ES LA GENTE; LO ÚNICO QUE OÍS POR AHÍ ES QUE LAS INSTITUCIONES ESTÁN EN CRISIS, LA ECONOMÍA EN CRISIS, LA JUVENTUD EN CRISIS.....

LA MORAL EN CRISIS, EL MUNDO EN CRISIS, LA IGLESIA EN CRISIS, LOS VALORES EN CRISIS, LA VIVIENDA EN CRISIS, EL FÚTBOL EN CRISIS, EL CINE EN CRISIS, LA...

...TELEVISIÓN EN CRISIS, LA POLÍTICA EN CRISIS, LA EDUCACIÓN EN CRI...

FUÉ EXPULSADO DE BULGARIA UN PERIODISTA INGLÉS

¡¡ PÁÁAF!?

DISOLVIÓ LA POLICÍA UNA MANIFESTACIÓN ESTUDIANTIL EN ROMA

¡MAS-CAL-ZONI? ¡MAS-CAL-ZONI!?

RECHAZÓ RUSIA UNA PROPUESTA DE ESTADOS UNIDOS

¡NIEET-NIEEET-NIEEET!!

¡CRAA!?

¿QUÉ PASA, ESTÁ PROHIBIDO BAILAR NOTICIOSOS, ACASO?

¡CHST! ¡BON YÚR, MADMUASÉLL!

¿VISTE? ¡ME COSTÓ, PERO APRENDÍ A SALUDAR EN FRANCÉS!

FELICITACIONES, LIBERTAD

¡ES QUE A MÍ, MÁS ME CUESTA UNA COSA, MÁS ME EMPERRO EN APRENDERLA BIEN!

¡BONYÚR, MADMUASÉLL!

ᴗMAFADDⁱⁱⁱⁱITAᴗ

¡UFA, GUILLE, TODOS LOS DÍAS LO MISMO! ¡TRAE!

BSSBEN CHILE... MSBSCLARÓ MOSHE DAYAMSSBS... BSSMS BSNUNCIÓ EL SUBSECRETARIMBS... MMSSALTO A UN BANCO ENBSBS... BSSBSTESTAN LOS JUBILADSSBS... SMBSSUN FILM DE PASSOLINSBS... BSSBSECHA DE SORGO HÍBRBSBS... MMSSRROTO POR 2 A 1 A SPORISBSSM...

¿NO?

NO

¡ZE PUEDE VIVID!

¡ADEMÁS YA TE DIJE: EL DIARIO TAMPOCO DIRÁ NADA EL DÍA QUE AUMENTE EL PRECIO DE LOS CHUPETES!

¡¡BUENAS TARDES, SOY SUSANITA!!

¡NO!

¡CONOZCÁMOSNOS Y PÁFATE!!

¡MENOS!

VOS QUE SABÉS TANTAS COSAS, ¿CÓMO CUERNOS SE HARÁ PARA **IRRUMPIR** EN LA VIDA DE UN HOMBRE?

MAMÁ, ¿VOS, CUANDO ERAS CHICA TENÍAS AMIGOS COMO YO TENGO A FELIPE, SUSANITA, MANOLITO, MIGUELITO, Y LIBERTAD?

SÍ CLARO

¿Y QUÉ PASÓ? ¿TE PELEASTE, QUE NO LOS VES NUNCA?

NO, PASÓ QUE LUEGO LA VIDA NOS FUE LLEVANDO A CADA UNO POR SU LADO

AAH

¿Y QUIÉN SE CREE LA VIDA QUE ES PARA HACERLE ESAS PORQUERÍAS A LA GENTE?

¿CUAL ES EL PICO MÁS ALTO DE AMÉRICA?

UNO; SALIÓ EN UNA REVISTA, CON FOTOS Y TODO

SÍ, BUENO, PERO ¿CÓMO SÉ LLAMA?

AH, NO ME ACUERDO, PERO NO IMPORTA

¿CÓMO NO IMPORTA?

Y, NO; TENGO LA REVISTA EN CASA ¡¡LA TRAIGO MAÑANA Y LA VEMOS JUNTAS!! ¿SI?

¡NO, LO QUE TRAES MAÑANA ES LA LECCIÓN BIEN ESTUDIADA! ¡A TU ASIENTO!

USTED DEBE SER UNA MUJER MUY SOLA, SEÑORITA, ¡MUY SOLA!

SI LA MAESTRA NO SE ENOJARA, YO ESCRIBIRÍA UNA COMPOSICIÓN SÓLO CON PREGUNTAS

¿NOSOTROS AMAMOS A NUESTRO PAÍS PORQUE NACIMOS AQUI?

¿LOS TURCOS AMAN A TURQUÍA PORQUE NACIERON EN TURQUÍA?

¿LOS SUECOS AMAN A SUECIA PORQUE NACIERON EN SUECIA?

¿LOS JAVANESES AMAN A JAVA PORQUE NACIERON EN JAVA?

"PATRIOTISMO Y COMODIDAD", LA TITULARIA

¡EPA! ¿QUÉ PASA, MANOLITO?

QUE HOY CAYÓ AL ALMACÉN UN INSPECTOR DE RÉDITOS

¿Y?

¡Y HUBO QUE MOSTRARLE **TODO**! ¡LOS CUADERNOS DE CAJA, LAS BOLETAS, LOS RECIBOS, LAS FACTURAS!... ¡TODO!

¡¡HASTA LA LIBRETA DE CHEQUES PIDIÓ VER EL MUY PORNOGRÁFICO!!

¡MAFADDA, HAY QUE GUADDAD LA TODTUGA Y NO EZTÁ POD NINGÚN LADO!

¿BUSCASTE AQUÍ EN NUESTRA PIEZA?

¡ZÍ!

¿EN EL LIVING-COME-DOR?

¡ZÍ!

¿EN EL BAÑO?

¡ZÍ!

¿EN LA CO-CINA?

¡ZÍ!

¿EN LA SECCIÓN USADOS?

¡AH, AHÍ NO!

PEDMIiiiiZO...

A MÍ, EL TIEMPO VIENE Y ME HACE ESE CHISTE.... ¡¡SABÉS LA QUE LE DOY!! ¿NO?

PORTERIA

TOC TOC

¿QUÉ DICE, M'HIJITA?

BUENAS, TARDES, DON SOSA; DICE MI MAMÁ QUE ¿QUÉ PASA QUE SE CORTÓ EL AGUA

QUE SE ACABÓ LA QUE QUEDABA EN EL TANQUE, Y NO HAY MÁS PORQUE PARECE QUE LOS DE LA COMPAÑÍA DE ELECTRICIDAD, AL ROMPER LA CALLE AQUÍ EN LA ESQUINA TAMBIÉN ROMPIERON UN CAÑO QUE LOS DE OBRAS SANITARIAS QUEDARON EN VENIR A ARREGLAR ESTA MAÑANA Y COMO NO APARECIERON QUISE RECLAMAR, PERO EL TELÉFONO NO FUN

¿Y? ¿QUÉ DIJO?

ESTEEE.....BUENO, TRAZÓ UNA COLORIDA SEMBLANZA DE PINTORESCO TONO LOCALISTA...

HICIERON USO DE LA PALABRA LOS SEÑORES

¡¿NO TE DIGO?! ¿SERÁ POSIBLE QUE SIGAMOS EN ESTE PAÍS CON LAS MISMAS MOMIAS RECALENTADAS DE SIEMPRE?!

ASUMIÓ DICHO CARGO EL SEÑOR...

¡¿Y A ESE QUIÉN LO CONOCE?!¿HASTA CUÁNDO VAMOS A SEGUIR EN ESTE PAÍS ENSAYANDO SIEMPRE CON IMPROVIS

BUENAS TARDES,
¿TU MAMÁ?

NO ES SÓLO MÍA; LA
TENEMOS EN CONDOMINIO
CON ESTE IRRESPONSABLE

¡LOS NORTEAMERICANOS
NO TENÍAN DERECHO A
HACERNOS UNA COSA ASÍ!

¿ASÍ CÓMO,
SUSANITA?

COMO ESA, DE ANDAR
AMIGÁNDOSE CON LOS
CHINOS, ¿NO ERA QUE
HABÍA QUE CUIDARSE
MUCHO DE LOS CHINOS?

¿NO ERA QUE
EL PELIGRO AMARILLO
ESTO, Y *EL PELIGRO
AMARILLO* LO OTRO?

¿QUIÉNES SON LOS
NORTEAMERICANOS
PARA VENIR AHORA
A ECHARNOS NUESTRO
MIEDO A PERDER?

MI PAPÁ DICE QUE HOY LOS HOMBRES SON ASÍ: TODOS IGUALES, PERO LOS DE ABAJO AGUANTANDO A LOS DE ARRIBA

CLARO QUE DICE QUE EL MUNDO CAMBIARÁ Y LOS HOMBRES SERÁN ASÍ: TODOS IGUALES SIN NADIE ENCIMA

BUENO, PERO PARA EL LUDO ES UNA PANTERA, MI PAPÁ

LA MEJOR MANERA DE VIVIR ES DARLE IMPORTANCIA A TODO LO QUE UNO HAGA

Y ENCARAR CADA TAREA, GRANDE O CHICA, DISPUESTO A GANAR UNA BATALLA MÁS

¿MI MAMÁ ME MANDA A COMPRAR EL PAN? ¡PUES VOY COMO SI TRAER ESE PAN FUERA EL ÉXITO MÁS GRANDE QUE HE DE LOGRAR EN MI VIDA!

¡MECACHO, ME OLVIDÉ LA PLATA EN CASA!

¡DIOS MÍO, QUÉ CUADRO!

SCHUÍPITI SCHUÍPITI SCHUÍPITI SCHUÍPITI SCHUÍPITI

¡DALE NOMÁS!... ¡PARECE QUE VAS A USAR CHUPETE HASTA EL ÚLTIMO DÍA DE TU VIDA! ¿EHÉ?

¿POD QUÉ? ¿DEZPUÉZ QUÉ ME VAN A COMPRAD?

¡QUÉ BIEN SE LO VE A TU PAPÁ DE CARA, MAFALDA! ¿QUÉ SE HA HECHO?

ES QUE LE AUMENTARON EL SUELDO...

...CLARO QUE COMO ESTÁ HOY LA VIDA, VAMOS A VER CUÁNTO LE DURA EL MAQUILLAJE

¡SÍ, YA SÉ, PERO QUÉ QUERÉS!..., ¡TANTA INESTABILIDAD, TANTA INESTABILIDAD..... AL FINAL UNO LE TOMA CARIÑO, QUÉ JOROBAR!

TOMÁ TU LECHUGA

¡POBRE BICHO! TODO LO QUE CONOCE DE LA VIDA ES ESTA CASA

PERO NO SABE QUE LA CASA ESTÁ EN UNA CIUDAD, NI QUE LA CIUDAD ESTÁ EN UN PAÍS...

...NI QUE EL PAÍS ESTÁ EN EL MUNDO, NI QUE EL MUNDO ESTÁ EN EL ESPACIO...

...NI QUE EL ESPACIO ESTÁ EN...

. . . .

una vez más enfrentamos una coyuntura invernal

El invierno es una etapa que articula sobre el incremento del frío, la agilización de la caída de hojas y...

NO, EL LENGUAJE OFICIAL TAMPOCO SIRVE PARA ESCRIBIR COMPOSICIONES

¿TE IMAGINÁS? ¡IR A LONDRES, PARÍS, NUEVA YORK!...

Y LUEGO: "SEÑORES, SE RUEGA AJUSTARSE LOS CINTURONES"

¡Y VOLAR! ¡CADA DOS POR TRES, VOLAR!

¡A MÍ TAMBIÉN ME GUSTARÍA SER AZAFATA!

¿AZAFATA? HABLAMOS DE MINISTROS DE ECONOMÍA, SUSANITA

BIEN, SEÑALA EL RÍO NEUQUÉN

¿CON ESTE FRESQUETE? ¡VAMOS!...

¡¡SOY TU MAESTRA Y DEBES RESPETARME!!

SÍ, COMO A UNA SEGUNDA MADRE, LO SÉ, PERO LA PRIMERA TAMBIÉN TIENE MALA PATA CON ESO

SALUD, MANOLITO, ¿POR QUÉ TAN ALICAÍDO?

Sr. Goreiro:
más que hacer los deberes, su hijo los perpetra.
La maestra.

¡PERO GUILLE! ¿QUÉ HACÉS CON EL TELÉFONO?

¡ZOY EL CODDOBÉZ!

¡EL CORDOBÉS!... ¿Y CON QUÉ TORO?

PARECE QUE LOS MAESTROS SIGUEN MEDIO CON LÍOS GREMIALES. ¿NO?

Y, SÍ

¡MIRÁ SI EN VEZ DE PAROS Y HUELGAS LES DIERA POR HACER SABOTAJE Y ENSEÑARNOS TODO MAL!

¿CÓMO TODO MAL? ¿POR EJEMPLO?

"A LOS ADVERBIOS SE LOS DISTINGUE POR SU HIPOTENUSA PECIOLADA DE ORDEN VERTEBRADO"

Y A MÍ EL DÍA MENOS PENSADO ME SACUDEN UN CERO POR NO SABERLO, ¡MECACHO!

¡MIRÁ VOS, DE PRONTO ESTE VIENTO!

PUUUUCHA..... ¡YO CREÍ QUE ERA QUE EL PAÍS COMENZABA A AVANZAR!

¡BUÉH!... ¡¡ME VOY A HACER LOS DEBERES, SÍ SEÑOR!! ¡CHAU!

CHAU, FELIPE

TANTA DECISIÓN EN MÍ ES SOSPECHOSA, ¿QUÉ ME TRAERÉ ENTRE MANOS?

"¡HACÉ ESTO, HACÉ LO OTRO, VENÍ, ANDÁ, DECÍME, CALLÁTE"... ¡USTEDES LOS GRANDES SON TODOS IGUALES!

¡SE SIENTEN SUPERIORES PORQUE SON GRANDES!

¿CREEN ACASO QUE LLEGARON A GRANDES POR MÉRITO PROPIO? ¿EH?

¿NO SERÁ QUE SON GRANDES PORQUE EL CUERPO LES CRECIÓ SOLO? ¿EHÉÉ?

¿NO SERÁ QUE SON GRANDES PORQUE NO TIENEN MÁS REMEDIO? ¿EHÉÉÉE?

¡ES POR ESO, SÍ, POBRES, PERDÓNENME!

¡MI CORBATA A PINTITAS !.... ¿¿QUÉ DIABLOS HACE AQUÍ??

¡TSS !.. ¡QUÉ BARBARIDAD!

¿NO VIZTE UNA ZEDPIENTE QUE HABÍA POD AQUÍ?

A MI MAESTRA SE LE HA METIDO EN LA CABEZA QUE MIENTRAS ELLA HABLA YO PIENSO EN OTRA COSA

TAL VEZ TU MAESTRA SEA DE ESAS QUE PRETENDEN QUE UNO REGISTRE TODO COMO UN GRABADOR

Y SEGURAMENTE LO QUE OCURRE CON VOS ES QUE RETENÉS EL CONCEPTO DE LO QUE ESCUCHÁS

EN VEZ DE PALABRERÍO INÚTIL VOS CAPTÁS EL NUDO DEL ASUNTO ¿NO ES ESO?

¡KASHUBUKI!

¡NO PODÍA ACORDARME DE LA MARCA! EL DE MI TÍO ES UN GRABADOR "KASHUBUKI", ¡ES DE LINDO !.. VIENE CON

¡NO HAY CASO, EL RACISMO ES ALGO QUE NO ME ENTRA EN LA CABEZA! ¡ME RESULTA UNA COSA INCONCEBIBLE!

¡ME PARECE ESPANTOSO CONSIDERAR INFERIORES A OTROS SERES HUMANOS POR EL SOLO HECHO DE NO SER COMO UNO!

¿TODAVÍA QUE TIENEN ESA DESGRACIA, ENCIMA VAMOS A DESPRECIARLOS? ¡HAY QUE SER MÁS CARITATIVOS, CARAMBA!...

SU ALEJAMIENTO DEL CARGO DE HOJITA, ¿OBEDECE AL CLIMA INVERNAL QUE VIVE EL PAÍS?

MAFADDA, ¿ME PREZTÁZ TUZ LÁPICEZ DE COLODEZ?

¿SABÉS DÓNDE ESTÁN?

CLADO, PAPAFRITA, PERO NO ALCANZO, ¿O POD QUÉ CREEZ QUE TE LOZ PEDÍ?

¡QUÉ CARADURA! ¿Y SE LOS VAS A PRESTAR?

NO TENGO MÁS REMEDIO, ¿NO TE DAS CUENTA QUE YO LOS PONGO AHÍ PARA QUE ÉL NO ME LOS USE?

"¿YO AL FRENTE? BIEN, SEÑORITA"

"VEAMOS: EN 1583 DON JUAN DE GARAY FUÉ MUERTO POR ¿QUIÉNES?..."

"¡AH, NO! ¡YO BESTIA, SÍ; DELATOR, JAMÁS!"

...¡NI HONESTIDAD CÍVICA, NI NADA!!

¡NO HAY HOMBRES, DON JOAQUÍN; NO HAY HOMBRES!

¡AH, NO! ¿Y QUÉ ES MI PAPÁ? ¿UN SAXOFÓN?

¡¡A TU EDAD SABÍAMOS RESPETAR A LOS MAYORES!!

¡Y CUANDO ELLOS HABLA-BAN, NOSOTROS NOS CA-LLÁBAMOS LA BOCA!

¡PST! ¿Y NO SERÍA QUE NO TENÍAN NADA QUE DECIR?

PAPÁ, ¿ES CIERTO QUE ANTES, CUANDO HA-BLABAN LOS GRANDES LOS CHICOS TENÍAN QUE CALLARSE?

ES CIERTO, SÍ

¡DIOS MÍO!...¿Y VOS SUFRISTE ESA ÉPOCA ESPANTOSA?

Y, SÍ

¡POBRE, HABER TENIDO QUE TRAGARTE TODAS TUS RESPUESTAS Y CALLARTE TODAS TUS OPINIONES!

¡EH, BUENO, NO ERA PARA TANTO!

¡"GIGLI, GIGLI"! ¿QUÉ CUERNOS TIENE GIGLI QUE NO TENGA BING CROSBY? ¿EHÉ?

BUEN DÍA, ¿QUÉ MUNDO TE-NEMOS HOY: EL PRIMERO, EL SEGUNDO, EL TERCERO?

NO, ESPEREN

MEJOR VAYAN A ECHAR UN VIS-TAZO, Y SI HAY LIBERTAD, JUS-TICIA Y ESAS COSAS, ME DESPIER-TAN, SEA EL NÚMERO DE MUNDO QUE SEA, ¿ESTAMOS?

¿QUIÉN PUEDE CONCENTRARSE EN EL JUEGO, SI TODO EL TIEMPO HAY QUE ESTAR PENDIENTE DE ESAS MALDITAS PIEZAS?!!

¡SIEMPRE YO, SIEMPRE YO!... ¿NO PUEDE IR OTRO A HACER LOS MANDADOS?

¡SÍ, YA SÉ!...

"VOS SOS CHIIIIICOOOO, ANDA'A'A'A'A'...¿QUÉ TE CUEEEESTAAAA,EEH?"

¡¡'CHICO'!!... ¡¡TENGO SEIS AÑOS!! ¡PERO LES DIGO UNA COSA! ¿EH?

¡ES LA ÚLTIMA VEZ EN MI VIDA QUE COMETO LA ESTUPIDEZ DE TENER ESTA EDAD!

¡OTRJHÍ-JHÍ-JHÍ OTRA VEZ JHÍ-JHÍ-JHÍ AUMEN JHÍ-JHÍ-JHÍ TÓ LA JHÍ-JHÍ-JHÍ LA LEJHÍ-JHÍ LECHE! ¡JHÍ-JHÍ-JHÍ-JHÍ-JHÍ!!...

¡Y LA FRUJHÁ-JHA-JHA' LA FRUTA UJHÚ-UJHÚ NA BARBARI JHÁ-JHA-JHA'!...

¡¡Y LAJHÓ-JHÓ-JHÓ LA JHÓ-JHÓ VER JHÓ-JHÓ-JHÓ JHÓ-JHÓ DURA!! JHÁ'-JHÁ'-JHÓJHÓ'-JHÁ'-JHAJÁ'!

ERA PREFERIBLE LA ÉPOCA EN QUE SE HACÍA UNA SANA MALASANGRE

¡BÚÚÚÚH!... ¡EL FANTAZMAAAA!

¡PÉÉÉRO!...¡LA SÁBANA LIMPIA, CARAMBA! ¡TRAÉ PARA ACÁ!

LOS FANTASMAS, NO SE SABE, PERO QUE LAS MADRES EXISTEN.....¡EXISTEN, GUILLE, EXISTEN!

¿ALGUNA COSA, M'HIJITO?

Y, SSSÍ, DIGO... NNNO, ¡SI NO TENGO PLATA!

AH, COMPRENDO, COMPRENDO

Y BUENO, AL FIN DE CUENTAS LA COMPRENSIÓN PRODUCE MENOS CARIES QUE LOS CHUPETINES

PERO,¿POR QUÉ EN EL SIGLO PASADO TANTOS Y HOY EN DÍA NINGUNO?

¿SERÁ QUE LOS PRÓCERES SE DAN POR RACHAS, UN SIGLO SÍ, UN SIGLO NO?

¿QUÉ OPINAN EN TU CASA DE CÓMO ANDAN LAS COSAS?

¡PÚF!

POR LO MENOS SON OPTIMISTAS; EN LA MÍA OPINAN QUE ¡PUAJ!

¡FÚF!...¡NO HAY CAZO!.
¡YA NO ZOY EL DE
ANTEZ!...

HOLA, MAFALDA

HOLA,
LIBERTAD

BAJITA COMO NIVEL
DE VIDA, LA POBRE

¡ZAS, ALLÁ VIENE SUSANITA!...

¡SONAMOS, ALLÁ ESTÁ MAFALDA!...

SEGURO VIENE A DARME LA LATA CON LO DE SIEMPRE

YA ME LA VEO SALIR CON LO DE COSTUMBRE

¡YA SÉ: CUANDO TE CASES TENDRÁS MUCHOS HIJITOS! ¿NO?

EL MUNDO ESTÁ LLENO DE LÍOS

¡A LA MEEESA!

SOPA, ¿VERDAD? DE LA FRONTERA IDEOLÓGICA PARA ALLÁ, POR FAVOR

¡OY-OY! ¡ESTA VEZ LE HABLO! ¡ESTA VEZ LA ENCARO Y LE DIGO!

¡ES INÚTIL, JAMÁS ME ANIMARÉ, JAMÁS SABRÁ QUE EXISTÓ NI JAMÁS YO LOGRARÉ SABER NADA DE ELLA NI NADIE SOSPECHARÁ NUNCA CUÁNTO ME GUS

HOLA, JUSTAMENTE VENÍA ACORDÁNDOME DE VOS; ACABO DE CRUZARME CON LA TARADITA ESA DE MURIEL, CREO QUE SE LLAMA, Y PENSÉ: *SEGURO QUE ESTA LE GUSTA A FELIPE*, ¿LA UBICÁS? UNA QUE ME DIJERON QUE EL PADRE ESTUDIABA MEDICINA Y LO BOCHARON TANTAS VECES QUE TUVO QUE DEJAR Y CONFORMARSE CON SER VISITADOR MÉDICO, Y ÁHI DONDE LA VES, ESTA POBRE CRECIÓ ALIMENTADA A MUESTRAS GRATIS DE VITAMINAS Y ESAS PORQUERÍAS Y PARECE QUE CUANDO TENÍA DOS AÑOS SE

¿UNIÓN BUENOCRÁTICA?

¿ACCIÓN CÍVICA BONDADISTA?

¿BUENISMO POPULAR INDEPENDIENTE?

¿POR QUÉ SONARÁ TAN MAL LA BONDAD CON LA POLÍTICA?

HOY CUANDO VENÍA PARA ACÁ ME PARECIÓ QUE EL AUTO HACÍA UN RUIDITO, COMO UN TÍKI-TÍKI-TÍKI, ¿QUÉ PODRÁ SER?

A LO MEJOR FUE SOLO IDEA TUYA, NO VAS A PREOCUPARTE AHORA

¿PREOCUPARME? NO, CLARO

PORQUE ERA ASÍ COMO UN TÍKI-TÍKI-TÍKI

¿MÑBSMÑBSS TÍKI-TÍKI-TÍKI?

¡PÚH!... ¡NUBLADO!

¡CÓMO!... ¿NO HAY ZOL?

NO

¡PADEZE MENTIDA!... ¡UN SEDVIZIO PÚBLICO!...

¡ALTO AHÍ, MIGUELITO! ¡BÁNG! ¡BÁENG!

TOMEN, COBARDES, Y ACCIDENTES NATURALES TALES COMO LA CORDIBÁNG-BÁNG LLERA DE LOS ANDES, LOS ALPES EUROBÁNGPEOS, ETC.

BUENO, ¿QUÉ LES PASA? ¿NO PUEDE UN COW-BOY TENER MAÑANA PRUEBA ESCRITA DE GEOGRAFÍA? ¿EHÉ? ¿QUÉ LES OCURR

ME IMAGINO CUANDO YO SEA INGENIERO ¡PÁH!...

BUEEENOOOO, ME VOY A PROYECTAR EL PUEEENTEEEE

¡NO VOY A SER ASÍ! ¡CUANDO SEA INGENIERO NO VOY A SER ASÍ!

¡PORQUE SERÉ FAMOSO, Y TODO EL MUNDO ME ENCARGARÁ DIQUES Y CARRETERAS Y FÁBRICAS Y TÚNELES Y ACUEDUCTOS Y....

¡DIOS MÍO! ¿CÓMO HARÉ PARA HACER TODO LO QUE TENDRÉ QUE HACER?

LO QUE UNO NO VE ES CÓMO HARÁ EL GOBIERNO PARA MANTENERSE FUERTE

BUENO, POR LO PRONTO, AHÍ PASÓ UN FRASCO DE VITAMINAS

"BIENAVENTURADOS LOS POBRES, PORQUE DE ELLOS SERÁ EL REINO DE LOS CIELOS"

COMPRENSIÓN Y RESPETO, ESO ES LO IMPORTANTE PARA CONVIVIR CON LOS DEMÁS, Y SOBRE TODO ¿SABÉS QUÉ? NO CREER QUE UNO ES MEJOR QUE NADIE

PORQUE ASÍ COMO HAY MUCHA GENTE QUE A MÍ PUEDE NO GUSTARME...

...ES LÓGICO SUPONER QUE TAMBIÉN YO PUEDO NO GUSTARLE A UN MONTÓN DE IMBÉCILES, ¿NO?

DECIME, PAPÁ, ¿EN LAS PELÍCULAS PROHIBIDAS PARA MENORES....

SÍ, ¿QUÉ?

NO, DEJÁ, ES ALGO MUY GORDO, MEJOR SE LO PREGUNTO A CUALQUIERA EN LA ESCUELA

¿Fideos sin complejos? Almacén Don Manolo

¿ASÍ QUE FIDEOS *SIN COMPLEJOS*? DECÍ LA VERDAD, MANOLITO ¿SON BUENOS O MALOS ESOS *FIDEOS SIN COMPLEJOS*?

BUENO, SON MUY ASÍ...... ¡LES IMPORTA UN PITO EL QUE DIRÁN!

MAMÁ, ¿PAPÁ Y VOS NO PIENSAN DARNOS ALGÚN HERMANITO AL GUILLE Y A MÍ?

¿HERMANITO? NO, NO, CON USTEDES DOS YA BASTA

¿O SEA QUE EN ESTA CASA NO MÁS EXPLOSIÓN DEMOGRÁFICA?

NO MÁS EXPLOSIÓN DEMOGRÁFICA

ADEMÁS YA A ESTA ALTURA, LA DINAMITA.... CLARO

"-HOLA, MI AMOR, ¡CHUIK! ¿CÓMO TE FUÉ HOY?"
"-BIEN, MI TESORO, ¡CHUIK! ¡MMMH! ¡QUÉ BIEN HUELE LA CENA!"

"-HOLA, ¡HOY FUÉ UN DÍA HORRIBLE! TERMINÁ VOS DE DARLE DE COMER A LOS CHICOS, QUE TODAVÍA NO PUSE LA OLLA AL FUEGO"
"-BUENO, PERO APURATE, QUE VENGO MOLIDO"

"-A BUENA HORA LLEGÁS, FIJATE SI EN LA HELADERA ENCONTRÁS ALGO QUE HAYA SOBRADO DEL MEDIODÍA!"
"-¡MÁH, SALÍ, SI YA COMÍ POR AHÍ!"

¡¡MENTIRA!! ¡¡MI MATRIMONIO NO ARRUINARÁ MI VIDA DE CASADA!!

?

PARA MÍ LO QUE ESTÁ MAL ES QUE UNOS POCOS TIENEN MUCHO, MUCHOS TIENEN POCO Y ALGUNOS NO TIENEN NADA

SI ESOS ALGUNOS QUE NO TIENEN NADA TUVIERAN ALGO DE LO POCO QUE TIENEN LOS MUCHOS QUE TIENEN POCO......

Y SI LOS MUCHOS QUE TIENEN POCO TUVIERAN UN POCO DE LO MUCHO QUE TIENEN LOS POCOS QUE TIENEN MUCHO, HABRÍA MENOS LÍOS

PERO NADIE HACE MUCHO, POR NO DECIR NADA, PARA MEJORAR UN POCO ALGO TAN SIMPLE

LOS VERBOS TERMINADOS EN "ER", ¿CORRESPONDEN A LA PRIMERA, LA SEGUNDA O LA TERCERA CONJUGACIÓN?

¿A VER SI TENGO AQUÍ.... ¡SÍ!

LE DEJO MI TELÉFONO, MÑSBSIETE-DOS OCHO DOS OCHO, AHÍ ESTÁ. A ESO DE LAS CUATRO UD. ME LLAMA QUE YO LE TENGO AVERIGUADO ESE ASUNTO, ¡AH! SÍ POR CUALQUIER COSA SALÍ A JUGAR TAL VEZ ME ENCUENTRE EN MÑBSEIS-TRES UNO CIN...

HOLA, MAFALD....

¡OH-OH! SIENTO COMO SI...

ORIENTACIÓN VOCACIONAL, QUE LE DICEN

¿VOS A QUÉ EDAD PENSÁS CASARTE LIBERTAD?

YO QUIERO A MI PAPÁ Y A MI MAMÁ

¿Y ESO QUÉ TIENE QUE VER?

QUE CUANDO LLEGUE EL MOMENTO DE COMPLICARME LA VIDA QUERIENDO GENTE FUERA DE MI CASA, VERÉ; POR AHORA ME GUSTAN LAS COSAS SIMPLES

DRLiÏÏiNG
DRiiÏÏiNNG

HOLA, ¿HABLO CON NÚMERO EQUIVOCADO?

NO SÉ, SEÑOR, ¿UD. CON QUIÉN QUIERE HABLAR?

NO...¿PARA QUÉ?... EL CORAZÓN ME LO DICE: ES NÚMERO EQUIVOCADO...

BUENO, PERO ¿UD. CON QUÉ NÚMERO—NO, NO...

NO VALE LA PENA, SIEMPRE ES ASÍ.... EQUIVOCADO.... ETERNAMENTE....EQUIVO-CADO...ADIÓS...SIEMPRE. EQUIVOCADO...SIEM-PRE...ADIÓS...
¡CLAK!

POBRE, CON QUÉ ROMANTICISMO SOBRELLEVA LOS SERVICIOS PÚBLICOS

¡LLEGA LA PRIMAVERA, GUILLE!

¡CÓMO!...¿NO LLEGÓ EL AÑO PAZADO?

¡YO NO ZABÍA QUE ZE HABÍA IDO!

PERO....CON LOS FRÍOS QUE HICIERON, LOS DÍAS NUBLADOS Y LOS ÁRBOLES PELADOS.... ¿NO TE DISTE CUENTA DE QUE LA PRIMAVERA SE HABÍA IDO?

NO,NO; YO CREÍ QUE ZE HABÍA QUEDADO Y LE IBAN MAL LAZ COZAZ

¡Feliz Primavera, Mamá! Mafalda

¡Feliz Primavera, Mamá! Mafalda

¡¡PRIMAVERA!! ¡COMO SI LA PRIMAVERA CAMBIARA LA SITUACIÓN!

"LA PRIMAVERA ES LA MÁS ALEGRE DE LAS ESTACIONES"... ¡COMO SI EL DÉFICIT SE ARREGLARA CON CARCAJADAS!

"LAS PLAZAS Y JARDINES SE CUBREN DE FLORES"... ¡COMO SI LA INFLACIÓN SE FRENARA CON MARGARITAS!

"DESDE LEJANOS PAÍSES LLEGAN LAS GOLONDRINAS"...

¡¡COMO SI LA BALANZA DE PAGOS SE NIVELARA CON PAJARITOS IMPORTADOS!!

¿NO ME OÍSTE, FELIPE?... ¡JAQUE!... ¡JAQUE MATE!

¿MMMH?... ¡AH!... ¿YA?... ¡BUEH!... ¡A SIETE Y MEDIO PAGO!

FIJÓ EL GOBIERNO PRECIOS MÁXIMOS A LOS ARTÍCULOS DE PRIMERA NECESIDAD

¿Y A CUÁNTO ESTÁ LA SENSATEZ?

Doña Pochita debe:
3 coca
1 birulana
2 sachés lavandina

Flia Sagaro pagará el 15
1 arroz doble
1 lit. querosén
2 jabón
1 té crosanblacuel grande

Sra. de al lado de la farmacia pagará a fin de mes
1 lata café 250 grs.
1/2 doc. huevo
1 detergente
1 kg. fideo verdes

¡MECACHO!...¡CADA VEZ MÁS CLIENTES COMPRAN CON EL MANOLO'S CARD!

YO NO TENGO NADA CONTRA LOS POBRES; TODO LO CONTRARIO

CREO QUE NECESITAN AYUDA Y COMPRENSIÓN

¡Y AÚN MÁS!

SOY UNA CONVENCIDA DE QUE LA GRAN MAYORÍA DE LA GENTE QUE ES POBRE NO LO HACE POR MALDAD

¿EN EZTE JUEGO DEL AJEDEZ PUEDEN GANAD LOZ DOZ?

NO, UNO SOLO

¿Y EL OTRO PADA QUÉ JUEGA?

¡OH, QUÉ MOMENTO!...

...¡CON ARROZ DE ALMACÉN "DON MANOLO"!

¡VÍSTANSE!...¡DEBEMOS ENCONTRAR YA MISMO ALGÚN PSICOANALISTA DE GUARDIA, QUE COBRE BARATO!

¡FELIIIPEE, QUE SON LAS SIETE Y CUARTO!

MMSÍ, MMÑA' MMVOY

¡¡ESPEREN, ESPEREN!! ¡LA DEMOLICIÓN ERA EN LA OTRA CUADRA!!

ESCUELA Nº2

¿CÓMO DIABLOS HARÁ MI IMAGINACIÓN PARA DESPERTARSE ANTES QUE YO?

¡BUAAAAAH!...

NADA, YA SE ME PASARÁ; ES QUE HOY TUVIMOS UNA CLASE SOBRE LA CONSTITUCIÓN NACIONAL

¡BANG!

¡PERDÉS EL TIEMPO, NO PIENSO MORIRME MÁS!

¡NO SABÉS JUGAR!

¡SÍ SÉ JUGAR! ¡PERO ESTOY CANSADO DE QUE ME LIQUIDEN Y DE LIQUIDAR A LOS DEMÁS UNA VEZ Y OTRA VEZ Y ASÍ TODO EL TIEMPO!

¡NO SABÉS VIVIR!

SNIF
SNIF
SNIF
SNIF

SNIF
SNIF
SNIF

¡ES QUE A MÍ SE
ME VALORA CUANDO
SE ME CONOCE
INTERIORMENTE!

¿LE HABRÁ DADO
POR LA POESÍA?

?

HABIENDO OTROS PLANETAS NADIE
SE HACE RESPONSABLE DE LOS
ACCIDENTES QUE PUDIERA OCASIONAR
EL USO DE ESTE

¡POR LA POESÍA!